Für meine Eltern

Nach den Regeln der neuen deutschen Rechtschreibung
Lizenzausgabe für Findling Buchverlag Lüneburg GmbH, D-21339 Lüneburg
ISBN 3-937054-12-X

Lithografie: Photolitho AG, Gossau ZH
Gesetzt in der Stempel Garamond, 11 Punkt
Druck: Proost N.V., Turnhout

Hans de Beer

Kleiner Eisbär
nimm mich mit!

Findling Buchverlag Lüneburg

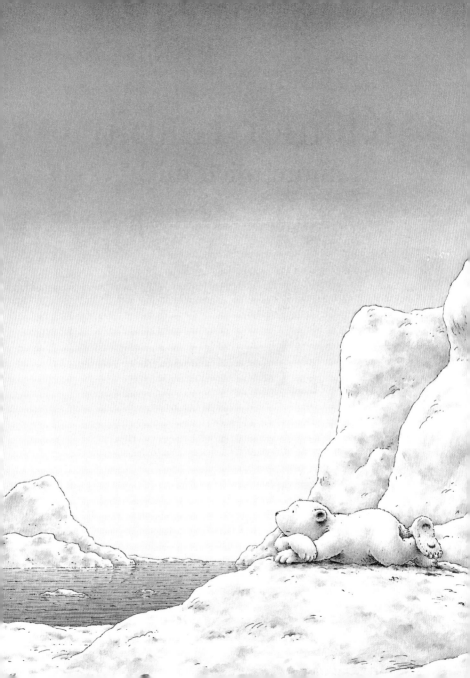

Lars, der kleine Eisbär, schaute über das endlose, blaue Meer und war ein bisschen traurig. Allein spielen ist so langweilig, dachte er und sagte seufzend: »Ach, hätte ich doch nur einen Freund…«

»Was ist denn heute bloß mit dir los, Lars?«, fragte Vater Eisbär, als er merkte, dass Lars betrübt war.

»Mir fehlt ein Freund, der mit mir spielt!«, antwortete Lars. Da sagte sein Vater: »Weißt du, Lars, hier bei uns ist es nicht einfach, einen Spielkameraden zu finden, aber ein Freund kommt oft von ganz allein, wenn du gar nicht damit rechnest. Du musst nur Geduld haben!«

Lars wusste zwar nicht, wie er das machen sollte, »Geduld haben«, aber er wollte es versuchen.

Am nächsten Tag hatte Lars seinen Kummer vergessen. Er stapfte fröhlich durch den Schnee, da sah er mit einem Mal einen Eisbären, nicht größer als er selbst! »Wie schön«, dachte Lars und lief schnell hin. Aber als er den Eisbären mit der Nase anstupste, fiel dieser um. Er war nämlich nur aus Holz! »So was!«, sagte Lars enttäuscht. Doch dann entdeckte er die komische Kiste. Was wohl drin sein mochte? Lars beschloss nachzusehen. Hmm, da roch es gut nach leckerem Fisch!

Kaum war der kleine Eisbär in der Kiste verschwunden, da fiel mit einem entsetzlichen *Rummms* die Klappe hinter ihm zu!

»Hilfe! Ich will hier raus!«, rief er und schlug, so kräftig er konnte, mit den Tatzen gegen die Tür seines Käfigs. Sie saß fest. Dann nahm er Anlauf und warf sich einmal, zweimal gegen die Holzwände – vergeblich; er saß in der Falle!

Eine ganze Weile verging. Lars spürte, dass er mit der Kiste hochgehoben wurde; seltsame Geräusche drangen zu ihm. Dann zitterte die Kiste, und er hatte das Gefühl zu fliegen. Lars hatte Angst, sein Herz klopfte ganz laut.
Lange geschah nichts mehr. Ein stetes Brummen schläferte ihn ein.

Plötzlich kippte sein Käfig krachend und polternd um und brach in Stücke!
»Wo bin ich denn hier?«, dachte Lars und sah sich erstaunt um. Überall standen Kisten.

»Psst, kleiner Eisbär«, hörte er eine sehr tiefe Stimme,
»komm mal her!«
Lars sprang vor Schreck zur Seite; über ihm erschien ein
gewaltiger Kopf mit zwei Säbelzähnen!
»Hab keine Angst! Ich bin ein Walross«, sagte das
Säbelzahnungeheuer und lächelte ihn freundlich an.

»Ich heiße Lars. Wo sind wir hier?«, wollte der kleine Eisbär
wissen. »Ich will nach Hause!«
»Eins nach dem andern!«, beschwichtigte das Walross.
»Zuerst musst du mir helfen, hier herauszukommen.
Dann können wir die anderen befreien.«
»Welche anderen?«, fragte Lars.
»In allen Kisten sind Tiere gefangen – genau wie wir.
Und dann musst du so schnell wie möglich von hier
verschwinden, verstehst du!«

Lars öffnete die Käfigtür vom freundlichen Walross, und
gemeinsam befreiten sie die anderen Tiere. Lars war
erstaunt, was für Tiere da zum Vorschein kamen; aber die
größte Überraschung wartete in einer der letzten Kisten:
ein kleiner Bär! Er sah genauso aus wie Lars, nur war er
nicht weiß, sondern ganz braun.
Neugierig sah Lars den kleinen, braunen Bären an. »Wer bist
du denn?«, fragte er schließlich.
»Ich heiße Lea.«
»Ich heiße Lars.« Damit Lea sich nicht fürchtete, fügte er
hinzu: »Und das ist mein Freund, das Walross!« Aber Lea
fürchtete sich gar nicht.
»Gut«, brummte das Walross, »wenn wir fliehen wollen,
müssen wir uns jetzt beeilen.« Die Tiere suchten sich einen
Weg ins Freie und waren, kaum dass sie die frische Abendluft
geschnuppert hatten, in alle Himmelsrichtungen
verschwunden.

Das Walross kam nur sehr langsam voran, denn es war groß und schwer. Lars merkte das und ging zurück. »Ich gehe mit dir«, sagte er zum Walross. »Ich auch!«, rief Lea.
Es dauerte sehr, sehr lange, aber schließlich erreichten die drei ein Gebüsch, in dem sie sich verstecken konnten.
Die Flucht der Tiere war inzwischen bemerkt worden, und die Gegend wurde mit grellen Scheinwerfern abgesucht.
»Das war knapp!«, meinte das Walross schnaufend. »Wir müssen uns ducken!«
Nachdem sie eine Weile gewartet hatten, waren die drei sicher, dass sie nicht mehr gesucht wurden. Sie schlichen zum nahen Wald und schliefen bald erschöpft ein.

Lars wachte plötzlich auf. Lea schluchzte leise neben ihm.
»Was hast du denn?«, fragte Lars besorgt.
»Ach… es ist… weil ich doch jetzt ganz allein bin auf der
Welt«, schniefte Lea, und die Tränen kullerten ihr über die
Backen.
»Ich bin doch bei dir – und das Walross!«, versuchte Lars sie
zu trösten.
»Aber ich weiß nicht, wohin ich gehen soll.«
»Und wenn du mit zu mir kommst?«
»Weißt du denn, wo du wohnst?«
»Am Nordpol!«, sagte Lars stolz. Lea hörte auf zu weinen.
Sie wollte viel über den Nordpol wissen. Waren da alle Bären
so weiß wie Lars? War der Nordpol weit weg? Konnte sie
denn als brauner Bär bei all den weißen Bären wohnen?
Da sagte Lars: »Bär ist Bär.« Lea lächelte, kuschelte sich an
Lars, und die beiden schliefen wieder ein.
Am nächsten Morgen erkundeten sie zusammen mit dem
Walross den Wald. Lea kannte sich in Wäldern am besten
aus. Sie fand Beeren und leckeren Honig.

Lars fand, dass Honig zwar ganz gut schmecke, aber Fisch war ihm doch hundertmal lieber. Das Walross robbte unglücklich hinter den beiden Bären her und schnaufte und brummte. »Wartet mal!«, rief es. »Wir müssen unbedingt einen Fluss finden, dann bringe ich euch zum Nordpol! Ich wohne da ganz in der Nähe.«

Lea hatte gelernt, wie man einen Flusslauf findet. Sie hielt die Nase in den Wind und schnüffelte und führte die kleine Gesellschaft schließlich zu einem Bach.

Glücklich grunzend hoppelte das Walross zum Wasser und warf sich mit einem Platsch hinein. »Oh, ist das köstlich!«, prustete es.

Die beiden Bären kletterten auf den Walrossrücken.
»lhr müsst euch gut festhalten!«, rief das Walross, und schon
ging die Reise los.
»Ich kann auch selber schwimmen, wenn es dir zu schwer
wird«, sagte Lars.
»Pah!«, machte das Walross. »So geht es schneller!«
Der Bach wurde zum Fluss, und der Fluss wurde breiter und
breiter und führte sie nach einiger Zeit zu einer großen
Stadt. Die drei beschlossen, am Ufer zu warten, bis es
dunkel wurde. »Sicher ist sicher!«, brummte das Walross.
Langsam wurde es Abend. »Seht mal die Lichter!«, rief Lea.
»Wie schön!« Die drei sahen staunend zur großen Stadt
hinüber.

Sobald es richtig dunkel war, setzten sie ihre Reise fort. Als sie das letzte düstere Wassertor durchquert hatten, rief Lars aufgeregt: »Ich rieche Salzwasser! Das ist das Meer! Jetzt sind wir bald zu Hause!«

Aber das Walross meinte, der Weg zum Nordpol sei noch lang. Dann brummte es laut: »Gut festhalten! Jetzt wird's stürmisch!« Und richtig: Kaum hatten sie die Flussmündung hinter sich, setzte auch schon ein heftiger Sturm ein. Die Wellen wurden immer höher, und die beiden kleinen Bären hatten alle Mühe, sich auf dem Walrossrücken zu halten.

Doch bald legte sich der Sturm. Das Wasser wurde kälter, die Luft klarer.

»Sieh doch, Lea, bald sind wir zu Hause!«, rief Lars fröhlich.

Lea staunte über die großen Berge aus Eis und Schnee. »Hier wohnst du?« Lea war beeindruckt.

Lars war glücklich, wieder zu Hause zu sein. Aber am meisten freute ihn, dass er jetzt eine Freundin hatte. Vater und Mutter würden staunen!

Bald mussten sie vom Walross Abschied nehmen, denn es hatte noch ein Stück Weg vor sich, um zu seiner Familie zu kommen.

»Vielen, vielen Dank, liebes Walross«, sagte Lars. »Ich werde immer an dich denken!«

»Macht's gut, ihr beiden!«, brummte das freundliche Walross. »Und lasst euch nicht wieder fangen!«

»Du auch nicht!«, sagte Lea. »Ade, liebes Walross.«

»Seht mal«, rief Lars schon von weitem, als sie bei Mutter und Vater Eisbär ankamen, »seht doch, wen ich mitgebracht habe!« Er warf sich seiner Mutter in die Arme. »Das ist Lea, Mama!« Dann lief er zurück zu Lea, die auf dem Eis noch nicht so gut laufen konnte, und sagte: »Wir sind Freunde, wir wollen zusammen spielen und schwimmen, wisst ihr!« Lars' Eltern waren glücklich, dass der kleine Eisbär wieder wohlbehalten nach Hause zurückgekehrt war. Mutter Eisbär nahm auch Lea ganz fest in die Arme und sagte: »Herzlich willkommen, kleine Lea!« Und Lars erzählte, dass Lea Angst gehabt habe, sie könne nicht mitkommen, weil sie doch ein Braunbär sei. Aber Vater Eisbär sagte: »Bär ist Bär!« »Siehst du, Lea«, sagte Lars.
Und Lea schluckte ein bisschen und lächelte, weil sie so froh war, wieder eine Familie zu haben.